# ぷーたの ぼうさい

チャイルド社

くまの　ぷーたは、うみに　かこまれた　ちいさな　しまに、
おとうさん　おかあさん　いもうとと　くらしています。

「おはよう。」
　ぷーたが　おきると、おとうさんが　テレビを<ruby>みて<rt>て れ び</rt></ruby>いました。

4

「おはよう。ぷーた、あさっての　にちようびに
しまに　おおきな　たいふうが　くる　みたいだ。」
おとうさんが　ぷーたに　いいました。

「え？　たいふうって？」

「たいふうは　つよい　かぜと
　たくさんの　あめを　つれて　くるんだ。」
おとうさんが　そう　いったので、
　ぷーたは　ちょっと　こわく　なりました。

「たいふうが　きたら　どう　なるの？」

## たいふうって　なに？
## たいふうが　くると　どう　なるの？

**おしえて！　きょうこせんせい**

たいふうは、おおきな　かぜの　かたまり。
つよい　かぜを　おこし、
たくさんの　あめを　ふらせます。

ここは、
きょうこせんせいが
おはなし　します！

つよい　かぜで　やねが　こわれたり、
おおきな　きや　へいが　たおれたり、
でんせんが　きれたり　します。

【おとなの方へ】
台風は、熱帯の海で発生する風の渦です。回転しながら移動し、どんどん
勢力を強めます。1年間に平均25個発生し、そのうち約12個が日本に接近、
約3個が上陸します。7〜10月にかけて接近・上陸することが多くなります。
天気予報を意識し、家族で情報を共有しましょう。

たくさんの　あめが　ふって
かわの　みずが　ふえると、
かわから　みずが　あふれたり　します。
やまが　くずれる　ことも　あります。

いえに　いる　ことに　きけんを　かんじたら、
あんぜんな　ばしょに　ひなんします。
ひなんばしょを　おぼえて　おきましょう。

「たいふう　だいじょうぶかな。おうち　こわれない？」
　ぷーたが　しんぱいそうに　きくと、おとうさんが　こたえました。
「ちゃんと　じゅんびを　しておくから　しんぱいするな。」

「さ、えんに　いく　まえに、しっかり　たべて。」
　おかあさんに　いわれて　ぷーたは
あさごはんを　たべて、
えんに　いく　したくを　しました。

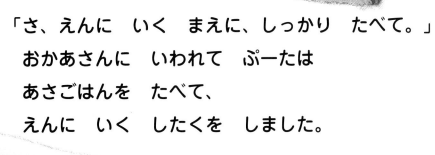

あるいて　いくと、きんじょの
いのししさんに　あいました。
「おじさん　おばさん、
　おはようございます。
　なにを　しているの？」
　ぷーたが　きくと、いのししの
　おじさんが　こたえました。
「おはよう、ぷーたくん。
　もうすぐ　たいふうが　くるからね。
　じゅんびを　しているんだよ。」

「おかあさん、みんな　じゅんびを　するんだね。
　ぼくに　できる　ことは　あるのかな？」

## どんな じゅんびを すれば いいのかな？

さいしょの じゅんびは、みんなの すんでいる
ばしょを しる こと です。

たいふうや じしんが おきた ときに、
どんな きけんが あるかな？
みんなの いえの まわりを みてみよう。

おおきな きは、つよい かぜで
たおれる ことが ある。
かぜが つよい ひは、
そとに でないほうが いいよ。

みんなも
いっしょに
かんがえましょう！

じしんで じどうはんばいきが
たおれる ことが ある。
すこし はなれて あるこう。

ブロックべいは、じしんで
くずれるかも　しれない。
すこし　はなれて　あるこう。

かわの　みずが　ふえると　きけん。
みずが　あふれる　ことが　ある。
おおあめが　ふった　ときは、かわに　ちかづかない。

ぷーたが　えんに　つくと、
たくさんの　おともだちも
えんに　あつまって　きました。

みんなが　へやに　はいると、ぷーたが　いいました。
「こんどの　にちようびに、たいふうが　くるんだよ。
　かぜで　おおきな　きが　たおれるんだよ。」

すると　やぎせんせい。
「たいふうは　とっても　こわいよね。
　でも、たいふうは　くるよーって　わかってからでも
　じゅんびが　できるの。だけど……。」

「じしんは　いつ　おきるか　わかりません。
だから　きょうは、じしんが　きた　ときの
れんしゅうを　します。」

「じゃあ、もし　いま　じしんが　きて
　ぐらぐら　したら、みんなは　どう　しますか?」

　みんなは、どう　したら　いいか　わからなくて、
　すこし　こわく　なりました。
「どう　したら　いいの?」

じしんが おきたら
どう すれば いいの？

### おしえて！ きょうこせんせい

じしんは いつ おきるか わかりません。
とつぜん ぐらぐら ゆれ はじめたら、
まず あたまを まもります。

じしんが きても
あわてない ために、
ひなんくんれんを します！

つくえや テーブルが ない とき は、
だんごむしの ポーズで、
たいせつな あたまを まもりましょう。

【おとなの方へ】
いつ地震がきても、どこにいても自分の身を守れるように、危険な場所、安全な場所について家族で話し、子どもも自分で考えられるようにしましょう。園などでの避難訓練では、保育室、園庭、ホールなどと場所を変えたり、遊びの時間、食事の時間、午睡の時間など、シチュエーションを変えてやってみます。頭を守るための「だんごむしのポーズ」は、くり返し練習して体に覚え込ませましょう。

たなの　そばや　でんきの　したから　はなれます。
つくえや　テーブルが　ある　ときは、したに　はいりましょう。
テーブルの　あしを　もてる　ときは、もちましょう。

ゆれが　おさまったら、
おとなの　いう　ことを
きいて　うごきます。

おおきな　じしんの　ときは、
ぼうさいずきんや　ヘルメットを　かぶり、
あんぜんな　ばしょに　ひなんします。

かえりみち、ぷーたは　おかあさんに、
ひなんくんれんの　はなしを　しました。

　　いえに　かえると、ぷーたは　テーブルの　したに
はいって　いいました。
「ママ　じしんは　いつ　くるか　わからないんだよ。
　ぐらぐら　ゆれたらね、こうやって　つくえの　したで
テーブルの　あしを　しっかり　もつんだよ。」

　　おかあさんも　テーブルの　したに　はいると、
「ぼうさい　グッズの　てんけんも　しないとね。」
と　いいました。

ぼうさいグッズって
なんだろう？

### おしえて！ きょうこせんせい

ぼうさいグッズは、たいふうや　じしんなどの
「もしも」の　ために　よういを　しておく　もの　です。

かいちゅうでんとうは
つくかな？

ついた！

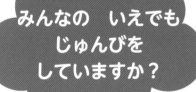

みんなの　いえでも
じゅんびを
していますか？

あたたかいけれど
がさがさ　おとが
するね

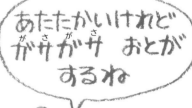

アルミブランケットを
1まい　ひろげて　みよう。

【おとなの方へ】
防災グッズは、家族構成やライフスタイルなどによって必要なものが異なります。わが家には何が必要か、家族の「防災グッズリスト」を作りましょう（30-31ページ参照）。使えなければ意味がありません。少なくとも半年に1回は点検をしましょう。

ラジオは　きこえるかな？

しょうみきげんは
いつかな？

えんには、ひとりひとりの
ひなんグッズを
じゅんびしましょう。

【おとなの方へ】
一人ひとりの避難グッズを園に置いておきましょう。
在園避難時、または、園からいっとき避難場所や広
域避難場所、避難所へ移動する際に使用します。

きんちゃく

のみみず

けいたいしょく

きがえ

マスク

さいがいようトイレ
（おむつ）

ハンカチ

ティッシュ
ペーパー

れんらくさきリストなど
こじんじょうほう

アルミブランケット

ウェットティッシュ

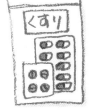

くすり

じゅんびを　したから
あんしんだね。

# 防災グッズリスト

「「もしも」に備えよう！」

基本の防災グッズをまとめました。家族構成、ライフスタイルに応じて、
「わが家の防災グッズリスト」を作りましょう。

作成：月ヶ瀬恭子先生

チェック欄の入った防災グッズリストが、右の二次元コードよりご確認いただけます。
「わが家の防災グッズリスト」作成にお役立てください。追加の記入欄もあります。

https://www.child.co.jp/
book04/downlord.html

## 大人の避難グッズ　※いつも持ち歩きましょう。

| 品　名 | おすすめポイント・備考 | チェックした日 | |
|---|---|---|---|
| 飲料水 | 少なくとも500ml/人 | / | / |
| 携帯食 | エナジーバーなど。子ども用には好きなおやつを準備 | / | / |
| ホイッスル | 玉の入っていないもの。すぐ出せるところにヒモやチェーンでつける | / | / |
| ライト | 小さめのヘッドライトなど。予備電池も忘れずに（1回分） | / | / |
| 携帯電話 | 充電器・モバイルバッテリーも。災害用アプリやラジオアプリを入れておくと◎ | / | / |
| 筆記用具 | メモ帳・ボールペン・油性ペン | / | / |
| 連絡先リスト | 家族の連絡先を書いたもの | / | / |
| 身分証明書 | お薬手帳も（デジタル化もおすすめ） | / | / |
| 現金 | 硬貨（10円玉や100円玉など）も | / | / |
| 応急手当セット | 絆創膏・ビニール袋（4枚）。もう少し入れられるなら三角巾も | / | / |
| 不織布マスク | 2-3枚 | / | / |
| 災害用トイレ | 2-3回分　子どもはオムツの用意も | / | / |
| 手指消毒 | ジェルタイプやウェットティッシュ | / | / |
| ハンカチ | できれば大きめのもの | / | / |
| ティッシュペーパー | 水に流せるタイプのもの（もしくはトイレットペーパー） | / | / |
| 常備薬 | 2-3回分 | / | / |
| 家族写真 | 家族全員が写っているもの | / | / |

## 子どもの避難グッズ　※園などに置いておきましょう。

| 品　名 | おすすめポイント・備考 | チェックした日 | |
|---|---|---|---|
| 巾着など | グッズをまとめて入れておくために | / | / |
| 飲料水 | 350-500ml | / | / |
| 携帯食 | 本人が好きなおやつ（小分けになっているもの） | / | / |
| 着替え | 1セット（靴下も忘れずに） | / | / |
| マスク | 1-2枚 | / | / |
| 災害用トイレ（おむつ） | 3-5回分（0-1歳児は少なくとも5枚）　年長児もおむつの用意を | / | / |
| ハンカチ | タオルハンカチなど | / | / |
| ティッシュペーパー | 水に流せるタイプのもの | / | / |
| ウェットティッシュ | 手指消毒用と口周りを拭くもの各種 | / | / |
| アルミブランケット | 体温保持用 | / | / |
| 連絡先リスト | 家族の連絡先を書いたもの（保護者の名刺など） | / | / |
| 家族写真 | 家族全員が写っているもの | / | / |
| 本人情報メモ | アレルギーなどを書いておく | / | / |
| 常備薬 | 2-3回分 | / | / |

## 在宅避難用基本グッズ　※少なくとも３日分、できれば1週間分を用意しておきましょう。

| ジャンル | 品　名 | おすすめポイント・備考 | チェックした日 | |
|---|---|---|---|---|
| 食　事 | 飲料水 | 1人あたり３L/日　＊生活用水を加味するならば1人あたり５L/日程度 | / | / |
| | 給水用ポリタンク | 畳めるタイプのものがおすすめ。運ぶための大きめのリュックもあるとよい | / | / |
| | 食品 | ローリングストックで効率的に備蓄（乾麺や乾物、フリーズドライの野菜など）<br>そのまま食べられるソフト缶パンなど（缶切りが必要かを確認しておく）<br>インスタントコーヒーやお茶など嗜好品もあるとよい | / | / |
| | 調味料 | ホワイトビネガーは酢酸が５％になるように水で薄めると掃除にも利用可 | / | / |
| | 食器 | 割れにくい素材のもの | / | / |
| | 食品用ラップ | 食器をカバーして洗うための水を節約 | / | / |
| | カセットコンロ・ボンベ | 調理できるように。ボンベは１本で約65分使用可能 | / | / |
| | 鍋・やかん | カセットコンロで調理できる素材のもの | / | / |
| 住まい | ヘルメット・防災頭巾 | すぐ被れるように練習を。ベッドサイドに置いておくのがおすすめ | / | / |
| | ライト | ランタンタイプを各部屋に | / | / |
| | 予備電池 | 電池を使用しているグッズに必要なサイズ各２回分 | / | / |
| | 災害用トイレ | １人あたり７回/日程度 | / | / |
| | トイレットペーパー | 男女各２名の家庭なら、少なくとも16ロール | / | / |
| | 連絡先リスト | 家族の連絡先を書いたもの | / | / |
| | 身分証明書のコピー | お薬手帳も（デジタル化もおすすめ） | / | / |
| | 筆記用具 | メモ帳・ボールペン・油性ペン | / | / |
| | 現金 | 硬貨（10円玉や100円玉など）も | / | / |
| | 歯ブラシ・マウスウォッシュ | 口腔ケアはとても重要 | / | / |
| | ドライシャンプー | 水やお湯を使わずに頭皮のにおいを抑え、髪を清潔に保つ | / | / |
| | 救急セット | 一般的なセットになっているものでよい | / | / |
| | 不織布マスク | 少なくとも50枚 | / | / |
| | 手指消毒 | ジェルタイプやウェットティッシュ | / | / |
| | 爪切り | 普段使用しているものでOK | / | / |
| | 大判ウェットティッシュ | 体が拭けるようなもの（赤ちゃん用お尻拭きでもOK） | / | / |
| | 常備薬 | 2-3回分 | / | / |
| | ビニール袋 | 大（45Lや90L）・小それぞれ１パック（30枚入り）程度 | / | / |
| | ブルーシート | 2-3畳用２枚程度 | / | / |
| | ダクトテープ | 少なくとも１本。ガムテープよりも強度が高い | / | / |
| 乳幼児 | 粉（液体）ミルク・<br>哺乳瓶・離乳食 | 完全母乳であったとしてもママの怪我など不測の事態に備えておく<br>紙コップがあると赤ちゃんは哺乳瓶がなくてもミルクが飲める | / | / |
| | 清浄綿 | 小分けタイプがおすすめ。コットンと蒸留水でその都度作ってもよい | / | / |
| | 紙おむつ | 少なくとも１パック（できれば２パック以上） | / | / |
| | 母子手帳 | いつも携帯する | / | / |
| | 抱っこ紐 | 使い慣れたもの。おんぶにも慣れておく | / | / |
| 女　性 | 生理用品 | 普段使っているものを2-3袋程度 | / | / |
| | ヘアゴム | 結べる髪の長さがある人は2-3本用意しておく | / | / |
| | スキンケア用品 | 普段使っているもの | / | / |
| その他 | 予備メガネ・コンタクトレンズ | 必要な人は忘れずに | / | / |
| | 通帳や重要書類 | コピーを別保管しておくのもよい | / | / |

おとなの方へ


災害はいつ起こるかわかりません。

大切な子どもたちを守るためには、平時からの心構えと準備が必要です。


特におとなの方は、

「自分が犠牲になっても子どもたちを守る！」と考えがちです。

あなたがケガをしたら？　あなたが命を落としたら？

誰が子どもたちを守るのですか？

あなた自身の安全確保をするからこそ子どもたちを守れるのです。


災害からあなたとあなたの大切な子どもたちの命を守るために

子どもたちと一緒に防災を身近にとらえて、

ぷーたの家族のように、日ごろから少し意識して行動してみませんか？